Sulamith Wülfing • Engelwesen

SULAMITH WÜLFING

ENGELWESEN

EDITION
Sulamith Wülfing
IM AQUAMARIN VERLAG

© Aquamarin Verlag
Voglherd 1 • D-85567 Grafing

1. Auflage 2000

Umschlaggestaltung: Annette Wagner

gedruckt in Leipzig
ISBN 3-89427-145-0

Inhalt

Von Engeln

Auf einem weißen Pergament wachsen Linien,
blühen Blumen, sind große Flügel.
Und aus Linien wird ein Gesicht, greifen Hände, fließen Falten.
Bäume schatten Farne und Moos, Schwertlilien leuchten im
Silbermond, Gräser wiegen sich im Hauch des Abendwindes.
Und überall der Duft von Blumen. Wolken tragen Engel, Sterne
sind Weg, Augen suchen Antwort.
Und die Engel sind groß, und ihr Dasein Ziel.
Gruß bringt Botschaft, Samen reift zur Frucht,
Knospe schließt die Gabe. Engel ist Bringer, Mutterschoß,
Schrein und Tor des Lebens, und ihre Hände Kelch.
Blüten schmücken den Pfad: Kleine weiße Sterne,
blaue Glocken, leuchtendes Gelb und dunkles Rot-,
und ihre Farben sind Gleichnis.
Und es sind Engel: Große, mächtige, und es geht
Glanz aus von ihnen wie von der Morgensonne, und ihr
Bringen ist Licht und Freude.
Und Engel, dunkel und gewaltig, und ihr Mantel
birgt Trauer und Schmerz.
Und der Engel Trost: Seine Augen sind gut,
seine Hände lind, und was er spricht, ist Friede.
Kinder und Blüten sind Erfüllung. Ihr Werden und
Vergehen ist Treiben, Grünen, Blühen und Verwelken.
Ihr So-und-nicht-anders-Sein ist ihr Leben in seinem
eigensten Geheimnis, und ihre Engel sind die Hüter
ihres Wesens.

Otto Schulze - Elberfeld

Licht

Vereinigung

Engel - Ausdruck eigenen Erlebens. Sie sind dazu Tröster, Führer, Begleiter, Warner - und Zwerge - das Lachen im großen Geschehen der seelischen Bereiche.

Sulamith Wülfing

Vereinigung

Um Mitternacht

Gelassen stieg die Nacht ans Land,
Lehnt träumend an der Berge Wand,
Ihr Auge sieht die goldne Waage nun
Der Zeit in gleichen Schalen stille ruhn;
Und kecker rauschen die Quellen hervor,
Sie singen der Mutter, der Nacht, ins Ohr
Vom Tage,
Vom heute gewesenen Tage.

Das uralte Schlummerlied,
Sie achtets nicht, sie ist es müde;
Ihr klingt des Himmels Bläue noch,
Der flüchtgen Stunden gleichgeschwungenes Joch.
Doch immer behalten die Quellen das Wort,
Es singen die Wasser im Schlafe noch fort
Vom Tage,
Vom heute gewesenen Tage.

- Eduard Mörike -

Das Geleit

aus dem Stunden-Buch

Mach mich zum Wächter deiner Weiten,
mach mich zum Horchenden am Stein,
gieb mir die Augen auszubreiten
auf deiner Meere Einsamsein;
laß mich der Flüsse Gang begleiten
aus dem Geschrei zu beiden Seiten
weit in den Klang der Nacht hinein.

Schick mich in deine leeren Länder,
durch die die weiten Winde gehn,
wo große Klöster wie Gewänder
um ungelebte Leben stehn.
Dort will ich mich zu Pilgern halten,
von ihren Stimmen und Gestalten
durch keinen Trug mehr abgetrennt
und hinter einem blinden Alten
des Weges gehn, den keiner kennt.

- Rainer Maria Rilke -

Länge des Lebens

Für die Glücklichen dauert das Leben ein Weilchen,
Traurigen wird eine Nacht schon eine Ewigkeit sein.

- Lukianos von Samosata -

Ihr Worte,
meinen Lippen leicht entflogen,
zu früh, noch ehe ich sie recht bedacht:
wohin enteilt ihr,
da ich nicht gewacht?
Hinaus, hinein
ins Meer versunkner Zeit?
Vergessen und verweht
in Ewigkeit?

O nimmermehr!
Der Weltengrund bewahrt
auch noch das Wort,
das ich nicht aufgespart.
Einst werd´ ich Schritt um Schritt
vorübergehn
an Taten,
die geschehn
und nicht geschehn -
und leid- und lichtvoll
werden sie mich lehren,
wohin die Worte wehn -
und wie sie wiederkehren.

- Erika Beltle -

Du meine heilige Einsamkeit,
du bist so reich und rein und weit
wie ein erwachender Garten.
Meine heilige Einsamkeit du -
halte die goldenen Türen zu,
vor denen die Wünsche warten.

- Rainer Maria Rilke -

Der einsame Engel

Gott sprich zu jedem nur, eh er ihn macht,
dann geht er schweigend mit ihm aus der Nacht.
Aber die Worte, eh jeder beginnt,
diese wolkigen Worte, sind:

Von deinen Sinnen hinausgesandt,
geh bis an deiner Sehnsucht Rand;
gieb mir Gewand.
Hinter den Dingen wachse als Brand,
daß ihre Schatten, ausgespannt,
immer mich ganz bedecken.

Laß dir Alles geschehn: Schönheit und Schrecken.
Man muß nur gehn: Kein Gefühl ist das fernste.
Laß dich von mir nicht trennen.
Nah ist das Land,
das sie das Leben nennen.
Du wirst es erkennen
an seinem Ernste.

Gieb mir die Hand.

- Rainer Maria Rilke -

Der Dunkle Engel

Ich sehe dich in tausend Bildern,
Maria lieblich ausgedrückt,
Doch keins von allen kann dich schildern,
Wie meine Seele dich erblickt.
Ich weiß nur, dass der Welt Getümmel
Seitdem mir wie ein Traum verweht,
Und ein unnennbar süßer Himmel
Mir ewig im Gemüte steht.

- Novalis -

Metamorphose

Wanderers Nachtlied

Der du von dem Himmel bist,
alles Leid und Schmerzen stillest,
den, der doppelt elend ist,
doppelt mit Erquickung füllest,
ach, ich bin des Treibens müde,
was soll all der Schmerz und Lust?
Süßer Friede,
komm, ach komm in meine Brust!

- Johann Wolfgang von Goethe -

Der Große Engel

Und wie ich sprach, sah mich das holde Wesen
mit einem Blick mitleid`ger Nachsicht an;
ich konnte mich in ihrem Auge lesen,
was ich verfehlt, und was ich recht getan.
Sie lächelte, da war ich schon genesen,
zu neuen Freuden stieg mein Geist heran;
ich konnte nur mit innigem Vertrauen
mich zu ihr nah`n und ihre Nähe schauen.

- Johann Wolfgang von Goethe -

Der Große Freund

Die Prinzessin der Elben

Tautropfen perlten von den zierlichen Blüten des Goldregens hinab. Am Horizont blinzelte der erste Sonnenschimmer, beäugte den neuen Morgen, scheinbar prüfend, ob es ein guter Tag werden sollte. Es sollte ein guter Tag werden.

Im aufgehenden Sonnenlicht erstrahlte Schloss Goldregen, der Königspalast der Elben. Er hatte den Namen durch den Goldregen erhalten, der sich um das ganze Gebäude gerankt hatte und es wie einen goldenen Schutzwald umhüllte.

Die Sonne war kaum aufgegangen, als im Elbenschloss eine emsige Geschäftigkeit anhob. Tausende kleiner Hände waren eifrig bemüht, das Schloss zu schmücken. Vor einer Woche hatte der Elbenkönig, Korialan VII., überraschend bekannt gegeben, man werde ein Fest feiern. Seitdem herrschte große Aufregung unter den Elben, denn keiner wusste den Grund für diese unerwartet veranstaltete Feier.
Heute nun sollte sie stattfinden und die kleinen Elben wieselten durch die einzelnen Gebäude, schleppten Girlanden und bunte Kerzen und waren ungeheuer zappelig und aufgeregt.
Was mochte den König wohl veranlasst haben, ein so unerwartetes Fest zu feiern? Nun, in wenigen Stunden würde man es wissen.
Es gab unter den Elben kaum Geheimnisse, jeder vertraute dem anderen nahezu alles an. Umso größer war, wie man sich leicht vorstellen kann, die Neugier.

Zur Mittagszeit war das Schmücken des Schlosses beendet und fast schlagartig kehrte Stille ein. Die Elben begaben sich in ihre Häuser, um ihre Festgewänder anzulegen.

Die Sonne hatte ihren höchsten Punkt bereits ein wenig überschritten, als von den sieben Türmen von Schloss Goldregen das Glockenspiel erklang. Auf jedem der sechs Türme der Außenmauern befand sich ein silbernes Glockenspiel, nur der Innenturm, in der Mitte des Schlosshofes, enthielt ein goldenes. Von diesem wurde jeweils der Einsatz zum Spiel gegeben, die sechs anderen stimmten harmonisch ein.

Kaum war der erste Ton erklungen, als aus allen Türen die Bewohner des Elbenschlosses strömten. Die vielen Elbenfamilien boten in ihren farbenprächtigen, schillernden Gewändern ein bezauberndes Bild. Gemessenen Schrittes zogen die Pärchen vor die große Treppe der Königsgemächer. Nur die kleinen Elbenkinder wollten gar nicht einsehen, warum sie heute nicht wie sonst herumtollen sollten und brachten den ganzen Zug in Unordnung.

Zugleich mit Beginn des Glockenspiels waren auch die Schlosstore geöffnet worden, und aus den umliegenden Wäldern strömten zahlreiche Waldelben dem Schloss zu. Ihre grünen Gewänder mischten sich unter das schillernde Völkchen der Schlossbewohner, so dass letztlich der ganze Innenhof angefüllt war mit vielen Tausenden.

Gespannt blickte alles die Treppe hinauf, wo man den König erwartete. Genau in dem Augenblick, als die Sonne den ersten Strahl auf das Wappen am Hauptportal sandte, wurde dieses geöffnet.

Korialan VII. betrat die Treppe. Er unterschied sich nur durch seinen größeren Wuchs von den anderen Elben und durch eine zierliche Krone, die sein langes, dunkles Haar schmückte. Zusammen mit seiner Frau, Königin Korialana, nahm er auf einem der zwei Sessel Platz.

Einen Augenblick betrachtete er schweigend die große Zahl der versammelten Elben, die erwartungsvoll zu ihm aufsah. Dann begann er zu sprechen:

„Liebe Geschwister! Wie ihr wisst, haben wir leider keine Kinder von unserem Lichtvater geschenkt bekommen. Es war dies unser Schicksal, denn von unseren Weisen wurde es bei meiner Amts-

übernahme bereits prophezeit. So wäre es das Gesetz der Elben, nach meinem Tod aus den Reihen des Elbenvolkes einen Nachfolger zu wählen. Ich möchte euch nun heute einen anderen Vorschlag unterbreiten. Vor sieben Tagen ist eine Fremde, die nicht dem Volk der Elben angehört, in unser Schloss gekommen; und ich möchte gerade sie zu meiner Nachfolgerin bestimmen. Deshalb sollt Ihr darüber entscheiden, ob die Fremde heute zur Elbenprinzessin gekrönt werden wird. Seid Ihr mit diesem Vorschlag einverstanden?"

Erstaunt sahen sich die Elben an. So etwas hatte es im Elbenland noch nie gegeben. Deshalb erklang ihre Zustimmung auch etwas zurückhaltend.

Der König erhob sich darauf und rief, sich zur Tür drehend: „Schneeblüte, komm zu uns heraus, damit dich die Elben kennen lernen können." Die Tür öffnete sich und ein Mädchen trat heraus, mit einem schneeweißen, bis auf die Füße reichenden Gewand bekleidet, auf das lange, dunkle Haare fielen. Es war größer als der Elbenkönig, und das Elbenvölkchen konnte sich mancher bewundernder und überraschter Ausrufe nicht enthalten. „Liebes Elbenvolk", sprach Schneeblüte zu den Versammelten, „ich bin aus dem Reich der Blumen zu euch gekommen. Seit langen Jahren wachen die Elben schon über das Wachstum der Pflanzen, Sträucher und Bäume. Mit großer Freude hat der allwissende Lichtvater euer emsiges Wirken beobachtet. Für euren Fleiß möchte er euch heute eine Belohnung schenken. Ihr sollt in die tiefen Geheimnisse des Blumenreiches eingeführt und damit befähigt werden, die Pflanzenwelt der Erde noch viel prächtiger zu gestalten. Wenn Ihr dieses Geschenk annehmen wollt, so will ich mit Freuden eure Prinzessin werden."

Als Schneeblüte gesprochen hatte, brach ein Begeisterungssturm los, wie ihn Schloss Goldregen noch nie erlebt hatte. Die Freude der Elben lässt sich kaum beschreiben, denn sie liebten ihre Blumen unsagbar. Die Vorstellung, ihre Pracht noch verschönern zu können, ließ sie kaum zur Ruhe kommen. Es wurde ein großes

Die verschlossene Tür

Fest gefeiert, das die ganze Nacht hindurch währte, und Schneeblüte wurde zur Elbenprinzessin gekrönt.

Am nächsten Tag begann Schneeblüte ihre Aufgabe. Sie zeigte den
Elben, wie sie die Blumen veredeln und durch Kreuzung völlig
neue Arten erzeugen konnten; und in kurzer Zeit war die Blüten-
pracht des Elbenreiches unbeschreiblich erweitert.
Schneeblüte lebte viele Jahre bei den Elben. Als König Korialan
und seine Frau gestorben waren, übernahm sie die Führung des
Elbenvolkes.
Die Elben liebten sie sehr und ihre Verehrung von Schneeblütes
Wissen über die Blumen war grenzenlos. Schneeblüte wusste aber,
sie würde einmal die Elben wieder verlassen. So wählte sie im
Verlauf ihres Lebens bei den Elben ein Paar aus, von deren Güte
und Weisheit sie sich vielfach hatte überzeugen können, die ihre
Nachfolger werden sollten.
Als nun der Tag des Abschieds gekommen war, herrschte große
Traurigkeit unter den Elben. Sie würden Schneeblüte sehr vermissen.

„Ihr Lieben", sagte Schneeblüte beim Abschied zu ihnen, „ich gehe
jetzt ins Reich der Menschen. Ich habe euch alles gelehrt, was ich
wusste und kann euch nun nichts mehr geben. Meine Liebe aber
wird immer bei euch bleiben, auch wenn ich nicht mehr unter
euch weile. Die Menschen aber brauchen mich noch. In ihrer Welt
herrscht nicht die Harmonie des Elbenreiches und so will ich euch
verlassen. Habt Dank für all eure Liebe und bleibt allzeit unserem
Lichtvater treu. Lebt wohl!"

Bei diesen Worten erstrahlte sie in einem weißen Licht und
verschwand aus dem Elbenreich.
Im gleichen Augenblick erschaute ein kleines Menschenkind das
Licht der Welt. Scheu sahen zierliche Augen umher, während von
einer Kirche her die Glocken klangen.

- Aus: Peter Michel - Der verzauberte Aquamarin -

Es ist der Glaube keine Blüte,
die dir ein andrer reichen kann.
Und wär` sie lauter wie des Spenders Güte
und rein und unberührt, auch dann
wird sie bei dir das kurze Dasein fristen,
das eine Blume lebt im Wasserglas.
Der Glaube ist ein Baum, in dem die Vögel nisten,
und mächtig liegt sein Schatten auf dem schwankend Gras.

Greif nicht nach fremder Bäume Blüten,
den eignen zarten Glaubenskeim nimm wahr
und zieh ihn auf und such zu hüten
ihn vor des Zweifels Frostgefahr.
daß einst der Baum hoch in die Lüfte trage
sein Haupt und dir`s mit Blüten lohne,
und daß sein Stamm, den Stürmen trotzend, rage
und seine Arme schirmend breite in der Krone.

- Ephides -

Im Schweigen
da steigen
die Engel hernieder
und bringen die Lieder
des Himmels der Erde,
daß heller sie werde.

Wir stehn an der Wende!
Den Ring ohne Ende
im Nehmen und Geben,
Herr, laß uns erleben
in heiligen Stunden -
verflochten, verbunden.

Die Einheit der Erde,
Herr unser einst werde!

- Aus: Ephides (erschienen im Anthos-Verlag) -

Die Flügel

O LEBEN Leben, wunderliche Zeit,
von Widerspruch zu Widerspruch reichend;
im Gange oft so schlecht so schwer so schleichend
und dann auf einmal, mit unsäglich weit
entspannten Flügeln, einem Engel gleichend:
o unerklärlichste, o Lebenszeit.

Von allen groß gewagten Existenzen
kann Eine glühender und kühner sein?
Wir stehn und stemmen uns an unsre Grenzen
und reißen ein Unkenntliches herein.

- Rainer Maria Rilke -

Das neue Jahr

Eure Kinder sind nicht eure Kinder...

- Kahlil Gibran -

Begegnung

Das Ende des Leidens liegt
in der Freude des Augenblicks.

- Krishnamurti -

Der Engel und das Kind

Angst klopfte an die Tür,
Vertrauen öffnete
und niemand war da.

Das schmale Tor

Der Weise argumentiert nicht.
Er schweigt und geht still seinen Weg.

- White Eagle -

Traum

Aber die Liebe soll bestehen,
und ihre Spuren nicht ausgelöscht werden.

- Kahlil Gibran -

Drei Engel

Nicht das, was wir erleben,
sondern wie wir empfinden,
was wir erleben,
macht unser Schicksal aus.

- Marie von Ebner-Eschenbach -

Lichtwärts auf Geistesschwingen. Dunkles Nachtschattenreich verblasste in Raumesferne. Weiter im Flug eilten die Strahlenden, heller wurde die graue Dämmerung. Willkommen spendend, reichten die silbernen Sphären perlende Wasserfälle den göttlichen Boten. Himmlischer Klang ertönte, als die Tropfenkinder vom Geistfeuer durchloht wurden. Selig empfingen die Boten, aus den Schattenwelten heimkehrend, den erquickenden Gruß aus dem himmlischen Lebensborn. Kein Schatten trübte länger ihr feuriges Gewand. Als Strahlende waren sie hinabgezogen, als Strahlende kehrten sie zurück, beschenkt, um Schenkende zu werden.

Friedensboten sollten sie sein - die Botschafter vom weißen Berg. Aus der Grenzenlosigkeit waren sie ausgezogen, um Seelenfunken zu suchen. Seelenfunken, die sie als leuchtende Gaben darbringen wollten auf dem Altar des Friedenstempels.

Jetzt kehrten sie zurück aus den Reichen der Schatten, aus den Welten der Finsternis, den Sphären der Schwarzen Herren. Sie kamen nicht mit leeren Händen. Die Schatzkammern ihrer Herzen waren gefüllt mit Diamanten der Liebe, mit Rubinen der Güte, Saphiren der Barmherzigkeit und Perlen der Sehnsucht. Auch die Nachtschattenreiche beherbergten Seelen, deren göttlicher Funke nicht gänzlich verdunkelt war. Ihre Bitten und Wünsche, Gebete und Meditationen hatten sich als strömende Gedankensterne aufgeschwungen in die geistigen Ebenen, wo die Engel des Friedens diese zierlichen Gedankenkinder empfingen. Geistige Juwelen, die ihren Glanz - um die Göttliche Güte vervielfältigt - wieder zurückstrahlen sollten in jene Welten, aus denen sie geboren wurden.

Schwingend öffneten sich mit einem wunderbaren Klang allseits die Tore des Silberreiches. Immer größer wurde die Zahl der Heimkehrenden, immer strahlender das Licht des Silberreiches. Da die geistigen Reiche nicht wie Schichten aneinander anschlossen, sondern jedes Reich schwingungsmäßig vom niedrigeren und höheren getrennt war, leuchteten die Neuankommenden wie Sonnen an einem scheinbar unbegrenzten Firmament auf. Gesichter aus weißem Lichtfeuer unbeschreiblicher Schönheit, von den Wasserfällen des Silberreiches umflossen, kristallisierten sich aus dem Tropfenmeer. Während sie ihren ursprünglichen Glanz wieder annahmen, sandten sie aus ihrer Stirn einen goldenen Strahl, der sich wie selbstverständlich in einem Mittelpunkt traf und so ein funkelndes Gewebe bildete. Das Zentrum der Strahlen pulsierte und ließ bei jedem neu eintreffenden Strahl eine himmlische Glocke erklingen, die einen jeweils anderen Ton von sich gab. Jeder Engelsbote verkörperte einen bestimmten Göttlichen Strahl, einen eigenen, unverkennbaren Göttlichen Klang. In jedem hatte sich eine unverwechselbare, einmalige Idee Gottes manifestiert. Die unendliche Vielfalt des Gottesgeistes barg keine Wiederholungen. Welches Geschöpf vermöchte über die Geistestiefe des Allvaters zu sprechen?

Nachdem beim Aufleuchten eines Heimgekehrten erneut ein Glockenklang ertönt war, begann nach einer kurzen Zeit der Stille ein Konzert aller Glocken. Gleichzeitig verwandelte sich der Strahlenmittelpunkt des Gewebes in ein leuchtendes Tor, aus dessen aufschwingenden Flügeln eine weiße Taube aufstieg. Die Strahlen, geboren aus den Engelsgesichtern, wurden in die Taubenflügel aufgenommen, die dann in einem Lichtermeer hinter dem offenen Tor verschwanden. Verbunden mit der weissen Taube folgten ihr alle heimgekehrten Friedensengel, und das Silberreich blieb zurück, ohne eine erkennbare Spur jenes Mysteriums, das sich in ihm vollzogen.
Die Engelsschar befand sich auf dem Flug zum Weißen Berg. Unzählige Geistesgeschwister säumten den Weg, wussten um ihr

Wirken und verbanden sich mit ihnen in geistiger Einheit. Immer leuchtender wurde der Schatz ihrer Herzenskammern. Als der geflügelte Führer den Weißen Berg erreicht hatte, entschwand er ihren Augen. Die Engelboten säumten den Fuß des Berges, schauten wissend zum Gipfel empor. Schweigend, in liebender Erwartung.

Unsagbares erfüllte ihren Geist, als das Licht des Ewigen aus dem Nichts aufflammte, den Berg und alle versammelten Friedensengel umhüllend. Sie wussten ihre Gaben in der Liebe Gottes, und im Bewusstsein der Glückseligkeit überreichten sie die Schätze ihrer Herzen.

Die Lichtwogen fluteten in ihre Quelle zurück, doch der Weiße Berg hatte sich verändert. Sein Gipfel wurde von einem Baum aus Licht gekrönt, dessen Glanz so stark war, dass selbst die Engelsboten einen Augenblick der Gewöhnung benötigten, um seine Herrlichkeit ertragen zu können.

Unbemerkt, wie sie entschwunden, so tauchte die weiße Taube wieder auf. Sie flog auf den Lichtbaum zu, nahm eines seiner Blätter in den Mund und entfernte sich damit von ihm. Vor den Augen der Engel des Friedens öffneten sich die Tore der Sphären und sie sahen den Flug der Taube in die Nachtschattenreiche. Als der weiße Vogel diese erreicht hatte, ließ er sein strahlendes Blattgut hinabsinken. In diesem Augenblick löste sich das Blatt in eine Flammenglut unzähliger Funken, die sich ergoss über die Reiche der Nachtschatten und den Frieden des Weißen Berges zu ihnen brachte.

Wieder und wieder flog die Taube, schier endlos schien die Blattfülle des Lichtbaumes - und immer senkte sich erneut die flutende Glut der Friedensfunken über die Welten der Schatten.

So erwiderte die Göttliche Liebe die Gedankensterne der Sehnsucht aus den Herzen der Seelen im Nachtschattenreich.

- Aus: Peter Michel - Das sirianische Sonnenschloß -

Rede nur, wenn du gefragt wirst,
lebe so, daß du gefragt wirst,
und wenn du gefragt wirst,
sprich nur von dem,
was du selbst erfahren hast.

Der erste Falter

Der Engel

Mit einem Neigen seiner Stirne weist
er weit von sich was einschränkt und verpflichtet;
denn durch sein Herz geht riesig aufgerichtet
das ewig Kommende das kreist.

Die tiefen Himmel stehn ihm voll Gestalten,
und jede kann ihm rufen: komm, erkenn -.
Gieb seinen leichten Händen nichts zu halten
aus deinem Lastenden. Sie kämen denn

bei Nacht zu dir, dich ringender zu prüfen,
und gingen wie Erzürnte durch das Haus
und griffen dich als ob sie dich erschüfen
und brächten dich aus deiner Form heraus.

- Rainer Maria Rilke -

Arbeit ist sichtbar gemachte Liebe.

- Kahlil Gibran -

Denn es gibt keinen anderen Ort
für dieses Weltganze als die Seele.

- Plotin -

Trennung

Die Ewigkeit ist vielleicht
ein unaufhörliches Beginnen.

- Krishnamurti -

Alles geschieht zur rechten Zeit,
zu der von Gott bestimmten Stunde.

- White Eagle -

Erlösung

Soll dich die Regenbogenbrücke tragen,
mußt du mit leichten Füßen gehn.
Willst du das Wort, das dich verwandelt, sagen,
schick deinen Engel aus, es zu erflehn.

Gott ist im Schwachen mächtig, nicht im Starken,
vergiß die Kräfte, die du selber hast.
Am Ufer harren dein der Träume Barken,
die bringen mehr als deine Seele faßt.

Aus: Ephides (erschienen im Anthos-Verlag)

Regenbogen

Glück ist das Gottesbewußtsein im Herzen.

- White Eagle -

Engel